« Il y a mille façons de raconter la même histoire. »

Steven Spielberg

À Camomille

A.P.

À Margot

B.

**Catalogage avant publication de Bibliothèque et Archives nationales
du Québec et Bibliothèque et Archives Canada**

Poulin, Andrée
Une cachette pour les bobettes
(Motif(s))
Pour enfants.

ISBN 978-2-89711-247-9
I. Boum   II. Titre.

PS8581.O837C32 2016   jC843'.54   C2015-942047-4
PS9581.O837C32 2016

Direction littéraire : Elaine Turgeon
Édition : Luc Roberge et Anne-Marie Villeneuve
Révision linguistique : Isabelle Chartrand-Delorme
et Marie-Ève Laroche
Assistance à la révision linguistique : Antidote 8
Maquette intérieure et mise en pages : Martin Laliberté
Conception graphique de la couverture : Martin Laliberté
Diffusion : Druide informatique

Les Éditions Druide remercient le Conseil des arts
du Canada et la SODEC de leur soutien.

Gouvernement du Québec – Programme de crédit
d'impôt pour l'édition de livres – Gestion SODEC.

Ce projet a été rendu possible en partie grâce au
gouvernement du Canada.
*This project has been made possible in part by the
Government of Canada.*

Canadä

ISBN : 978-2-89711-247-9

Éditions Druide inc.
1435, rue St-Alexandre, bureau 1040
Montréal (Québec) H3A 2G4
Téléphone : 514 484-4998

Dépôt légal : 1e trimestre 2016
Bibliothèque nationale du Québec
Bibliothèque nationale du Canada

© **2016 Éditions Druide inc.**
www.editionsdruide.com

Imprimé en Chine

Pour obtenir du matériel pédagogique,
visitez le carnet de la collection :

www.editionsdruide.com/motifs

UNE CACHETTE POUR LES BOBETTES

ANDRÉE
POULIN

×

BOUM

 Druide

Jacob

Ma journée a mal commencé.
C'est la faute de mon frère :
il sort les vêtements de la sécheuse
et les jette dans un panier, sans jamais rien plier.

J'ai réagi vite.
Je ne voulais pas faire rire de moi.

J'avais très peur que les autres devinent
que c'était mes bobettes.

Tout le monde sait que j'adore les dinosaures.

À la récréation, les filles se sauvaient de Cédric.
Elles n'avaient aucune raison de crier,
mes bobettes étaient propres.

J'étais très fâché, mais je ne pouvais pas le montrer.
Tout le monde aurait su que c'était mes bobettes.

Heureusement,
quand on est sorti pour le dîner,
mes bobettes avaient disparu.
Fiou!

Je ne les ai pas revues de la journée.
Fiou!

Finalement, personne n'a su
que c'était mes bobettes.
Fiou!

Avant de quitter l'école,
j'ai trouvé une surprise
sur mon bureau.
Ma journée a mal commencé,
mais elle s'est bien terminée.

Julia

Ma journée a mal commencé.
On est allé donner Ti-Minou aux voisins
parce que Papa est allergique aux chats.

Pour me consoler,
Papa a mis mon dessert préféré dans ma boîte à dîner.
J'adore le chocolat aux cerises.

En classe, Cédric a encore fait son comique.
Tout le monde porte des bobettes.
Je ne vois pas ce qu'il y a de drôle là-dedans.

À la récréation, Cédric a continué à faire
des niaiseries. Jacob était rouge de colère.
Heureusement, j'ai réussi à parler à monsieur Angelo.
C'est le concierge le plus gentil de la Terre entière.

Papa est venu me chercher après l'école.
Il avait une surprise pour me faire oublier
le départ de Ti-Minou.
Ma journée a mal commencé,
mais elle s'est bien terminée.

Quand on fait le ménage dans une école,
on tombe sur toutes sortes d'objets.
Ce matin, j'ai trouvé des sous-vêtements rigolos
sous un banc.

À ma grande surprise,
ils se sont retrouvés dans la cour de récréation.
C'est Julia qui m'a informé de la situation.

Cette fillette a l'air douce et timide,
mais il ne faut pas se fier aux apparences.
Elle a du courage, la petite.

Dans l'après-midi,
j'ai surpris un polisson
en train de faire
un mauvais coup.

Heureusement, avant de quitter l'école,
j'ai trouvé un cadeau sur mon bureau.
Ma journée a mal commencé,
mais elle s'est bien terminée.

Ma journée a bien commencé.
J'ai joué un tour au concierge.
Mes copains ont beaucoup ri.
J'étais content.

Plus tard,
j'ai trouvé des bobettes
dans la boîte des objets perdus.
Ça m'a donné une idée géniale.
Mes copains ont beaucoup ri.
J'étais fier de ma blague.

À la récréation, je me suis bien amusé.
Les filles étaient dégoûtées.
Mes copains ont beaucoup ri.
J'étais heureux.

Malheureusement, en fin de journée, les choses ont mal tourné. Monsieur Angelo m'a pincé en train de dessiner sur le mur des toilettes. Il m'a obligé à tout nettoyer. C'est le concierge le plus sévère de la Terre entière.

Ça m'a pris une heure à tout laver!
Moi qui déteste le ménage...
Ma journée a bien commencé,
mais elle s'est mal terminée.